DINAS EMRYS

Argraffiad cyntaf: Mai 1997

Rhif Llyfr Safonol Rhyngwladol:
0-86381-439-5

Lluniau a chlawr:
Carys Owen

Argraffwyd a chyhoeddwyd gan Wasg Carreg Gwalch,
Iard yr Orsaf, Llanrwst, Dyffryn Conwy LL26 0EH

☎ *(01492) 642031*

STRAEON CYMRU

DINAS EMRYS

ESYLLT NEST ROBERTS

Flynyddoedd maith yn ôl, roedd brenin o'r enw Gwrtheyrn yn byw yng Nghymru. Roedd Gwrtheyrn yn frenin ar Brydain gyfan, ond er hynny doedd o ddim yn hapus am fod pawb am ei waed. Doedd dim ond un peth amdani felly – dianc.

'I ble yn y byd yr a' i i guddio?' gofynnodd i wŷr doeth ei lys.

'Beth am fynyddoedd uchel Eryri?' atebodd un ohonynt, 'Mae 'na le diogel iawn yno.'

Ac felly, penderfynodd Gwrtheyrn symud ei lys i ganol mynyddoedd dirgel Eryri yng Ngwynedd.

Drannoeth, dechreuodd Gwrtheyrn hel ei bac am ogledd Cymru. Llanwodd ddwsinau o gistiau trymion ag aur, arian, gemau lliwgar a thrysorau gwerthfawr.

Wedi iddo bacio'n ofalus, i ffwrdd ag o â'i fintai o filwyr, ceffylau, gweision a morynion, ac wrth gwrs, y crefftwyr a fyddai'n codi'r castell newydd.

Wrth droed yr Wyddfa, gwelodd Gwrtheyrn fryn.

'Ew, dyma lecyn gwych i godi castell newydd – mi alla' i weld y wlad o gwmpas am filltiroedd maith. Chaiff fy ngelynion fyth afael arna' i yma. Dechreuwch adeiladu!' gorchmynnodd.

Erbyn machlud haul y noson honno, roedd sylfeini y llys brenhinol newydd wedi eu torri a'r seiri meini wedi cychwyn adeiladu'r castell.

Roedd y gweithwyr wedi blino'n lân ar ôl yr holl waith caled ac aethant i gysgu'n fuan. Breuddwydio am ei gastell newydd sbon wnaeth Gwrtheyrn wrth gwrs.

Ond ganol nos, digwyddodd rhywbeth rhyfedd iawn. Dechreuodd y ddaear grynu i gyd ac roedd twrw mawr fel taranau yn llenwi'r awyr. Roedd y bobl wedi dychryn yn arw a swatiodd pawb yn glyd yn ei wely gan obeithio y byddai'r sŵn wedi distewi erbyn y bore.

Drannoeth, roedd y crynu mawr wedi peidio, ond deffrowyd pawb gan sŵn gweiddi aflafar:

'Be goblyn sy' wedi digwydd? Pwy yn y byd wnaeth hyn?' Roedd Gwrtheyrn yn ei ddagrau bron pan welodd y llanast, a'r holl gerrig a'r waliau a godwyd y diwrnod cynt wedi eu dymchwel yn bendramwnwgl i'r llawr.

'Mi fydd yn rhaid inni ddechrau o'r dechrau eto rŵan!' gwaeddodd yn flin, ac aeth y gweithwyr diwyd ati ar unwaith i ailgodi'r castell.

Pan ddeffrodd Gwrtheyrn y bore wedyn, roedd y castell ar chwâl unwaith eto. Aeth yr adeiladwyr ati i godi'r waliau yn eu holau, ond roedd yr holl waith yn ofer. Chwalwyd y cwbl y noson honno hefyd.

'Dyna ni! Rydan ni wedi cael llond bol,' meddai'r adeiladwyr. 'Dydan ni ddim am godi yr un garreg arall nes y byddwch chi wedi dal y cnafon digywilydd sy'n dinistrio'r castell.'

Gwyddai'r brenin na allai ddal y dihirod ar chwarae bach, felly aeth at ei wŷr doeth i ofyn am gymorth.

'Rydw i bron â drysu,' cwynodd Gwrtheyrn. 'Mae'n rhaid bod fy ngelynion wedi dod o hyd i mi.'

'Nid dy elynion sydd wrthi,' atebodd un gŵr doeth. 'Ysbryd drwg sy'n ceisio dy rwystro rhag codi'r castell.'

Ysbryd drwg! Roedd pethau'n mynd o ddrwg i waeth ar Gwrtheyrn druan.

'Ond be wna' i?' sgrechiodd.

'Mae'n rhaid i ti ladd bachgen a'i roi yn anrheg i'r ysbryd, ond dim ond bachgen heb dad wnaiff y tro,' meddai'r gŵr doeth.

Ymhen hir a hwyr, roedd Gwrtheyrn wedi gyrru ei holl farchogion i chwilio am y bachgen hynod, gan gynnig gwobr hael iawn i'r marchog llwyddiannus.

Aeth misoedd maith heibio, ond ni ddychwelodd neb gyda'r bachgen heb dad. Roedd Gwrtheyrn bron â cholli'i bwyll yn lân am ei fod yn meddwl na châi fyth gastell newydd.

Un bore, aeth y brenin am dro i geisio anghofio ei anlwc. Teimlai'n ddigon penisel er ei bod yn ddiwrnod cynnes a heulog. Wrth iddo synfyfyrio'n drist am ei gastell, dychmygodd ei fod yn gweld rhywun yn marchogaeth tuag ato. Na, doedd bosib – mae'n rhaid mai'r haul oedd yn ei ddallu! Ond carlamodd y ceffyl yn nes a gwelodd Gwrtheyrn un o'i filwyr ar ei gefn, a bachgen bach yn gafael yn dynn am ei ganol.

'Eich mawrhydi, dyma fo!' gwaeddodd y marchog wrth nesáu. 'Dyma'r bachgen heb dad!'

Tybed oedd o'n dweud y gwir? meddyliodd Gwrtheyrn.

'Wyt ti'n siŵr mai hwn ydi'r bachgen hynod?' gofynnodd iddo'n amheus.

'Ydw, fy mrenin. Mi chwiliais amdano hyd y wlad i gyd. Un prynhawn, clywais ddau fachgen yn ffraeo wrth chwarae pêl ac roedd un yn gwawdio'r llall am nad oedd ganddo dad.'

'Ydi hyn yn wir?' gofynnodd Gwrtheyrn i'r bachgen.

'Ydi, eich mawrhydi,' atebodd yntau.

'A be ydi dy enw?'

'Emrys,' meddai'r bachgen.

Trodd Gwrtheyrn at y marchog a rhoi pwrs bychan a'i lond o ddarnau aur yn ei law.

'Da iawn ti, dyma dy wobr. Rŵan mi ga' i gastell newydd gwerth chweil . . . '

'Na chewch, eich mawrhydi. Waeth i chi heb â fy lladd i. Does 'na ddim ysbryd drwg yn y bryn siŵr iawn,' meddai Emrys, a dechreuodd chwerthin dros y lle. 'Pwy oedd y ffyliaid ddywedodd y fath lol wrthych chi?'

Ni wyddai Emrys fod un o'r gwŷr doeth yn clustfeinio ar ei sgwrs gyda'r brenin.

'Mae'n rhaid i ni ei ladd,' sibrydodd hwnnw wrth y lleill, 'neu mi fydd pawb yn ein gwawdio ni a'n galw ni'n dwp. Be ŵyr o am ysbrydion beth bynnag?!'

Brysiodd y gwŷr doeth at y brenin gan daeru fel un côr:

'Er mwyn i chi gael castell newydd mae'n rhaid rhoi anrheg i'r ysbryd drwg.'

'Nid ysbryd drwg sydd yno, y ffyliaid gwirion!' meddai Emrys. 'Os tyllwch chi i grombil y ddaear fe gewch hyd i ddwy ddraig yn byw mewn llyn, y naill yn goch a'r llall yn wen. Cynrychioli'r Cymry wnâ'r ddraig goch a chynrychioli'r Saeson wnâ'r ddraig wen. Cryndod a thwrw'r dreigiau yn ymladd sydd wedi gwneud i waliau'r castell ddisgyn bob nos.'

'Dydi o ddim hanner call. Lladdwch o wir!' gwaeddodd y gwŷr doeth.

Ni wyddai Gwrtheyrn beth i'w wneud. Roedd o'n hoff iawn o Emrys.

Bu'r brenin yn pendroni am ddyddiau. Yn y diwedd, penderfynodd chwilio am y dreigiau, ond os na fyddai'n cael hyd iddynt byddai'n rhaid iddo ladd Emrys er mwyn cael gwared â'r ysbryd drwg.

I ffwrdd â Gwrtheyrn a'i weithwyr i gychwyn tyllu'n ddwfn i'r ddaear galed. Buont wrthi am oriau nes bod pawb wedi ymlâdd, ond ni ddaethant o hyd i'r dreigiau. Dechreuodd y brenin ddigalonni. Doedd o ddim eisiau lladd Emrys.

Yn sydyn, daeth bloedd uchel o du mewn y twll anferth.

'Dŵr! Mae 'na ddŵr yn fa'ma, eich mawrhydi.' Roedd y gweithwyr wedi cynhyrfu'n lân.

Oedd, roedd Emrys yn llygad ei le. Yn y dŵr du, tywyll yng nghrombil y llyn roedd dwy ddraig enfawr – un goch ac un wen. Ar unwaith, dechreuodd y dreigiau ymladd yn ffyrnig am waed ei gilydd.

'Dyma nhw! Y ddwy ddraig yma oedd yn gyfrifol am ddinistrio eich castell bob nos,' meddai Emrys.

Y ddraig goch wnaeth ennill y frwydr yn y diwedd, wrth gwrs.

Ben bore trannoeth, penderfynodd Gwrtheyrn chwilio am le newydd i fyw a chododd gastell mewn dyffryn cul uwchlaw'r môr. Heddiw, gelwir y lle hwnnw yn Nant Gwrtheyrn.

Daeth Emrys yn arweinydd dewr ac fe'i gelwid yn Emrys Wledig, sef brenin neu arglwydd. Penderfynodd aros ar y bryn wrth droed yr Wyddfa a chodi'i gastell ger y fan ble bu'r ddraig goch a'r ddraig wen yn ymladd. Dinas Emrys yw enw'r fan honno.

Heddiw, gwelir y ddraig goch a orchfygodd y ddraig wen ar faner Cymru, ac mae 'na rai yn dweud ei bod yn dal i sgrechian yn y llyn ger yr Wyddfa bob noswaith Calan Mai.

Tybed ydi hi'n stwyrian yn y dŵr du o hyd?

Straeon Cymru 1 – Gelert

Mae hanes Gelert, ci ffyddlon y tywysog Llywelyn, yn un sydd wedi cyrraedd calonnau plant Cymru ers cenedlaethau. Dyma hi'n cael ei hadrodd o'r newydd ar gyfer ton arall o blant sydd bob amser yn mwynhau stori dda.

Straeon Cymru 2 – Olwen

Dyma un o chwedlau hynaf yr iaith Gymraeg. Stori liwgar, llawn rhamant ac antur am y modd y llwyddodd arwr ifanc o'r enw Culhwch i ennill Olwen, merch y cawr, yn wraig.

Straeon Cymru 3 – Clustiau March

Chwedl sy'n adrodd hanes am y Brenin March ap Meirchion a'i glustiau anhygoel, ac am y modd y daeth y bobl i wybod am gyfrinach ei glustiau.

Straeon Cymru 4 – Cantre'r Gwaelod

Hanes boddi Cantre'r Gwaelod yw un o chwedlau mwyaf adnabyddus Cymru. Hanes y môr creulon yn torri'r mur uchel oedd yn amddiffyn y wlad oherwydd esgeulustod y pen-gwyliwr, Seithenyn.

Straeon Cymru 5 – Merch y Llyn

Dyma un o chwedlau gwerin mwyaf adnabyddus Cymru. Hanes llawn rhamant a thristwch am y gŵr ifanc o'r Mynydd Du a syrthiodd mewn cariad dros ei ben a'i glustiau â'r ferch arallfydol o Lyn y Fan Fach.